十年屋与魔法街的朋友们 3

十年屋

无法施展的
时间魔法

[日] 广岛玲子 ○著
[日] 佐竹美保 ○绘
尚思婕 ○译

北京日报出版社
100层童书

目 录

引子

那些心爱之物，即使坏掉了也不舍得丢弃。

因为它们承载了太多珍贵的回忆，所以总想找一处安全的地方妥善保管。

意义深刻的物品、想要守护的物品、决意远离的物品……

如果您有这样的物品，欢迎来到十年屋。

本店将妥善保管它们，连同您珍贵的回忆……

1

奇怪的花瓶

彼得今年五十二岁，是个专门做家具的工匠。他胖乎乎的，脸上总是带着笑容。大家都很喜欢他，称他为"开朗的彼得"。

但是最近，彼得总是失眠，笑容也少了。因为过于忧虑，他本就稀疏的头发变得更少了。

"我该怎么办？"彼得双手抱头，痛苦地说道。

让彼得如此烦恼的是一只花瓶。

两个月前，彼得在古董市场发现了一只古旧的大花瓶。花瓶表面刻着银黑相间的旋涡状花纹，看起来很有质感，而且价格低到令人震惊。

彼得一眼就相中了这只花瓶，毫不犹豫地买了下来。

把花瓶拿回家后，彼得立刻将它当成装饰品，摆在了客厅。花瓶跟客厅的风格很相称，而且无论插什么花，都显得很有格调。

彼得太太也很喜欢这只花瓶。她称赞丈夫道："你真是买了个好东西呀！"

有一天，彼得太太的朋友来做客。一进客厅，她的目光就落在了那只花瓶上。

"哎呀，这只花瓶真漂亮！是哪个窑里烧出来的？可以让我看看瓶底吗？"

朋友看向瓶底，随即发出一声惊呼。

"怎……怎么了？"

"你们买到一个了不得的东西啊！"朋友神色大变，眼睛却闪闪发光，"啊，这个签名！绝对没错，是乌洛洛·多尼！"

"什么？乌……乌洛洛·多尼？"

连对艺术界不太了解的彼得太太都知道这位传奇人物。

乌洛洛·多尼是两百年前的陶艺家，他的作品在当时就获得了极高的评价。据说，现在刻有他名字的作品，哪怕是一个小小的碟子都能卖出天价。

没想到，彼得在古董市场便宜买来的花瓶竟然是如此有名的陶艺家的作品！

望着震惊的彼得太太，朋友更加兴奋地说道："谁能想到呢，那位大师居然还做过这么摩登的花瓶！这可是个大发现！这只花瓶是货真价实的宝物啊！"

从这一天起，乌洛洛·多尼的花瓶就成了彼得全家的骄傲。彼得太太甚至邀请了很多人来家里做客，就为了炫耀这只花瓶。

然而，也是从这一天起，彼得一家开始感觉怪怪的，每次进入客厅，总觉得心绪不宁。

一天，彼得在卧室睡得正香，突然，一声尖叫将他惊醒。

他慌张地跑出卧室查看，发现太太瘫倒在客厅的地上。

"怎……怎么了？！"

"啊啊啊啊啊！"

"喂，基拉，你没事吧？"

"彼……彼得！"

太太脸色苍白地指着花瓶。

"那……那只花瓶里有……有幽灵！它从花瓶口冒出来，又消失了！"

"怎么可能？"

"是真的！我清清楚楚地看到了！"

彼得不相信太太的话。他觉得太太睡迷糊了，出现了幻觉。

然而两天后，女儿也说她在花瓶里看到了幽灵。

最后，彼得自己也看到了那个幽灵。

那天晚上，彼得突然感觉客厅里好像有人。

"基拉，你还没睡吗？你要是睡不着的话，我去给你热一杯牛奶吧。"

彼得以为是自己的太太，可是叫了几声都没听到回应。于是，他往客厅走去。结果，眼前的一幕让他倒吸了一口凉气。

他看到一个白色的影子突然从乌洛洛·多尼制作的那个花瓶里冒出来，眨眼间幻化成一个男子的模样。

那是一个年轻男子，穿着打扮像是古时候的人。他看起来很瘦，一副病恹恹的样子。他脸色阴沉沉的，怨恨的目光死死地盯着花瓶，然后像是被花瓶吸进去一样，转眼间就消失了。

彼得惊出了一身冷汗。

看来妻子和女儿说的是真的，花瓶里真的有幽灵！

那天晚上之后，幽灵开始频繁出现在彼得一家面前。

彼得太太被吓得不轻，带女儿躲到了娘家。

"在你处理好那只奇怪的花瓶之前，我们是不会回来的！"

"处理？把花瓶摔碎吗？"

"那怎么行！那可是乌洛洛·多尼大师制作的花瓶啊，不能那么粗鲁地对待。想个办法把幽灵赶走吧。"

听太太这么说，彼得感觉很苦恼。

我很喜欢这只花瓶，如果可能的话，我想一直收藏它。别说摔碎了，弄坏一点儿我都舍不得。但我也知道，不能这么放任幽灵不管。唉，我该怎么做呢？能不能把这只花瓶先寄存在什么地方呢？也许过段时间，幽灵就会离开了。

就在彼得这么想的时候，他听到了什么东西落在地上的声音。

彼得抬起头，看见一张对折的卡片躺在自己面前。卡片是深棕色的，表面装饰着美丽的金色和绿色相间的藤蔓纹样。

这张卡片是从哪里来的？彼得心想。

他捡起卡片，看到正面用银色墨水写着"十年屋"三个字，背面写着这样几句话：

那些心爱之物，即使坏掉了也不舍得丢弃。

因为它们承载了太多珍贵的回忆，所以总想找一处安全的地方妥善保管。

意义深刻的物品、想要守护的物品、决

意远离的物品……

如果您有这样的物品，欢迎来到十年屋。

本店将妥善保管它们，连同您珍贵的
回忆……

这些文字充满了神奇的魅力，让彼得十分心动。
他现在想要的正是这样一个地方。

十年屋？难道是可以帮人保管东西的魔法商店？

卡片里面一定有十年屋的详细信息。想到这儿，
彼得立刻打开对折的卡片。一瞬间，耀眼的光芒四溢
而出。

彼得感到一阵眩晕，于是紧紧闭上了眼睛。

接着，他闻到一缕甘甜的香气，像是他最喜欢的
焦糖味。啊，里面还有坚果和肉桂的香味。这让他想
起了母亲做的点心。他的心情神奇地放松了下来。

感觉到光芒逐渐暗下来后，彼得轻轻地睁开了
眼睛。

"啊……"

他惊讶得说不出话。

自己刚才明明在房间里，现在竟然到了户外！周围的景色也从未见过。这里像一个石头小镇，弥漫着青色浓雾，一切都是朦朦胧胧的，甚至连现在是白天还是黑夜都分不清。附近一个人都没有，一片寂静。

发现了不远处闪烁的微光后，彼得悬着的心终于落了地。那微光像灯塔一样呼唤着他：请到这边来。

彼得穿过浓雾，向微光走去。

没走几步，他便来到一扇白色的大门前。门上镶嵌着带有勿忘我图案的彩色玻璃，还写着"十年屋"三个字。

这……这里就是十年屋吗？

彼得咽了一口唾沫。

他恍然大悟：突然出现的神奇卡片，我瞬间移动到陌生的小镇……都是因为魔法，是魔法把我引领到了这里！

彼得用颤抖的手推开门。"丁零零。"门上的铃铛发出悦耳的轻响。

哇，真壮观！

彼得瞪圆了眼睛。

十年屋内就像一间大仓库，到处都堆满了东西：家具、乐器、台灯、动物标本、各式各样的衣服、闪光的宝石……还有很多怎么看都是废品的东西，甚至还有被咬了一口的蛋糕。

即便如此，所有东西仍然萦绕着一种难以用语言描述的魔力。

"意义深刻的物品、想要守护的物品、决意远离的物品……"

彼得想到卡片上的话，决定继续向深处走。

穿过物品之间狭窄的通道，彼得看到了房间深处的柜台。

柜台后面坐着个年轻男子。他有一头蓬松的栗色鬈发，戴着一副银框眼镜，镜片后的眼睛是温和的琥珀色。他身穿白色衬衫、深棕色的马甲和裤子，系着奶糖色的围巾，周身萦绕着一种震慑人心的气场。

看到彼得后，他微微一笑。

"这位客人，您好，欢迎来到十年屋。"

"你……你好。你是……魔法师吧？"

"是的，我也是这家店的店主。请叫我十年屋。您似乎有些惊讶。请到接待室喝杯茶吧，我们边喝边聊。"

彼得在震惊中来到了接待室。这里有舒适的沙发和时尚的桌子，桌上已经摆好了茶。

来送点心的是一只橘黄色的猫。它穿着一件黑色的天鹅绒马甲，用两条后腿走路，就像人一样。

它将用杏仁、核桃仁和焦糖制成的点心放到桌子上，向彼得鞠了一躬。

"欢迎光临，先生，请享用茶点。"

猫的声音很可爱，彼得忍不住回复道：

"哎呀，你真周到，谢谢你！"

猫似乎对彼得很有好感，冲彼得笑了笑，然后迈着轻快的步伐出去了。

十年屋倒了一杯茶，递给彼得。

"请用茶。刚刚那只猫是本店的管家猫客来喜。这些点心都是它做的，非常好吃，请您一定要尝尝。"

"好……好的。"

如十年屋所说，点心散发着坚果和焦糖的香气，和茶的味道也很相称。喜欢甜食的彼得一口气吃了四块。

喝第二杯茶的时候，彼得已经完全放松了下来。

十年屋看准时机，开口说道：

"客人，您应该有物品想让人代为保管，对吧？"

"啊，对……"

"我的时间魔法可以让物品在十年内保持原样。有需要的客人会收到邀请函。"

"啊，是那张卡片。"

原来如此。彼得点了点头。

"没错。我确实需要魔法帮我保管物品。我有一样东西不能放在家里，但是扔掉又很可惜。"

"我理解。本店正是为此而存在的。"十年屋欣然点头，"所以，究竟是什么物品？"

"一只花瓶。"

彼得刚说完，那只花瓶便出现在了桌子上。

不顾一旁惊讶万分的彼得，十年屋专注地欣赏起花瓶来。

"真是只不错的花瓶，我能感受到创作者的品位。"

"对吧？我也一眼就相中了。后来我才知道，它是一位特别有名的陶艺家的作品。我太太很开心，还说它是传家宝呢！"

"既然如此，您为什么要让人代为保管呢？"

"这……"

如果说实话，十年屋可能会不愿意帮我保管。彼得虽然这样想，但是被那双琥珀色的眼眸深深凝视着，他很难保守住秘密。

彼得把一切都告诉了十年屋。

"其实，这只花瓶里住了一个幽灵。"

噼里啪啦！

厨房突然传出一阵响声，像是什么东西摔碎了。彼得和十年屋都吓得从座位上跳了起来。

"怎么了，客来喜？你没事吧？"

"我没事！"

客来喜的声音传来。

"对不起，我听到有幽……幽灵，手滑了……"

客来喜一脸惭愧地走了出来。

"抱歉，主人，我摔碎了两个盘子。"

"没关系，客来喜，你没受伤就好，收拾的时候小心一些。"

"好。"

十年屋温柔地安抚完沮丧的猫咪后，又看向彼得。

"失礼了。您是说，这只花瓶里有一个幽灵？"

"是……是的。我们全家人都很害怕，所以我想暂时找个地方存放花瓶，就来到了这里。"

"我明白了。我可以接下这份委托，不过我想先确认一下是不是真的有幽灵。"

客来喜惊叫一声，逃回了厨房。彼得也瞪大了眼睛。

"你……你能做到吗？"

"小事一桩。幽灵原本就是因为执念或遗憾才一直留在世间，召唤这样的灵魂很简单。"

说着，十年屋轻轻地碰了碰花瓶，嘴里还小声念着什么。

随着十年屋的动作，天花板上的灯变得忽明忽暗。突然，一个模糊的影子从花瓶里冒了出来，落在屏住呼吸的彼得面前，不一会儿便幻化成了他曾看到过的那个年轻男子的模样。

男子尽管很年轻，却形容枯槁。他的穿着打扮和彼得之前见过的一样，脸色既阴沉又悲伤。不过，此时他似乎有些吃惊，目不转睛地望着十年屋。

十年屋却一脸平静。

"哎呀，你果真住在花瓶里。不过……你是谁？你看起来像是两百年前的人，为何会附在这只花瓶上？这只花瓶对你来说，有什么特殊的意义吗？如果可以的话，能告诉我们吗？"

"……"

"你不用担心，这里和外面的世界不同，我们能听到你的声音。你若有什么想说的话，请告诉我们吧！"

在十年屋的鼓励下，幽灵终于开口了。他那嘶哑的声音像冬日凛冽的寒风，在接待室里回荡。

“我……是这只花瓶的创作者。”

什么？！彼得连恐惧都忘记了，不由得大声问道：

“你就是乌洛洛·多尼？”

听到彼得的话，幽灵立刻变了脸色。他的眼泪扑簌簌地落下来，旋即又像烟雾一般消散在空气中。

“不……我……我叫诺特·巴基，也是个陶艺家。但我的作品不符合当时的审美，完全卖不出去。迫于生计，又受了坏人蛊惑，我才犯下如今的罪行——将自己的作品做成乌洛洛·多尼的风格，并署上他的名字进行售卖。”

“也就是说，你……制作赝品？”

“是的。”

幽灵巴基说，这些赝品很快销售一空。他挣到钱后，食髓知味，再也无法停止这种行为。到后来，他自己都算不清到底制作过多少署名为乌洛洛·多尼的赝品。

幽灵巴基流着泪，低下了头。

“我……我知道自己利欲熏心，无耻至极……这只花瓶是我最后的作品，和乌洛洛·多尼的风格完全不同，它是我自己的风格。但是负责出售赝品的人依然让我署上乌洛洛·多尼的名字。我虽然很不情愿，最后还是听了他的话。此后，我一病不起。直到临死时，我还是十分在意这只花瓶，现在都不愿离开这个世界。"

"所以你就附在花瓶上，出现在我和我的家人面前？"

"抱歉……我并不是故意吓你们的，我只是想请你们不要再说这是乌洛洛·多尼的作品。我活着的时候仿造他的作品，死了以后，我的作品还要继续冒充他的作品，实在是太对不起他了。"

幽灵巴基用绝望的眼神注视着花瓶。他的目光中夹杂着爱与恨，宛如燃烧的火焰。

彼得现在不仅不再害怕幽灵了，还对巴基生出一种深切的同情。幽灵巴基怀着这样悔恨的心情熬过了两百年，一定无比痛苦。

彼得想让幽灵巴基的心情变得好一些，于是对他说道：

"我用锉刀把乌洛洛·多尼的名字刮掉，你就能安息了吧？"

"什么？"

似乎没想到彼得会这么说，幽灵巴基露出了惊讶的神色。不仅是他，连一旁的十年屋，还有躲在厨房偷看的客来喜都不由得眨了眨眼睛。

在大家的注视下，彼得耸了耸肩。

"老实说，我根本不在乎这只花瓶是谁的作品，我只是单纯喜欢它罢了。我觉得这只花瓶很好看，所以把它买下，仅此而已。就算现在也是如此。无论它是不是乌洛洛·多尼的作品，我对它的喜爱都不会改变。"

"你……喜欢它？"

"是的，你制作的这只花瓶在我看来是最好的。"

听到彼得发自内心的称赞，幽灵巴基空洞的双眼顿时绽放出光芒，他苍白的脸庞也染上了红晕。

幽灵巴基笑了。那是无比幸福的笑容。

"谢谢你。"

"我也要谢谢你，是你做出了这么美丽的花瓶。"

"谢谢！我一直想听到有人对我说这样的话，哪怕只有一次也好。啊，我现在真的好幸福！"

幽灵巴基露出满足的神色，慢慢闭上了眼睛。

他的身体渐渐变得透明，最后如烟雾一般消失了。

彼得真切地感觉到，他不会再出现了。

十年屋欣慰地鼓起掌来。

"客人，您真了不起，几句话就解开了幽灵的心结！这可是连魔法师都很难做到的事情。"

"哪里哪里，我只是说出了心里的真实想法而已。话说回来，抱歉，我好像已经不需要把花瓶存放在你这里了，这次的委托可以取消吗？"

"当然可以，您已经完全没有必要在本店存放花瓶了。回去的路上请小心。"

"嗯，那我就先告辞了。"

彼得紧紧抱住花瓶，朝来时的白色大门走去。

回家的路上，他想了很多很多。

到家后，彼得先是刮掉了瓶底的签名，然后给躲在娘家的妻子和女儿写了封信：

"已经没事了，你们可以回家了。"

2

会说话的头骨

阿宗今年五岁，是一个胆小的男孩。但他不想承认自己是个胆小鬼，也不想让大家觉得他是一个懦弱的人。

所以，当来他家里喝茶的大姨拿出自己做的巫婆玩偶给大家看时，阿宗便故意逞强说："哇，好可爱，我喜欢它！"

其实，第一眼看到这个玩偶，阿宗就觉得它很可怕：红色的大眼睛，长长的鼻子，还有晃晃悠悠的四肢，令人不寒而栗。

大姨听到阿宗的话很开心，说道："那就把它送给你了。"

阿宗笑着点了点头，心里却涌出强烈的悔意。

啊，我都说了些什么啊！我害怕这个玩偶，晚上它一定会吓到我的！

果然，到了晚上，巫婆玩偶看起来更可怕了。哪怕只是跟巫婆玩偶待在一个房间，阿宗都觉得害怕。

即便如此，阿宗仍然嘴硬地说自己要和巫婆玩偶一起睡。

他板着脸，把巫婆玩偶放到枕头旁边，钻进了被窝。

见此情景，爸爸意有所指地说道：

"阿宗，该睡觉了，你有什么话想对爸爸说吗？"

"我要把这个可怕的玩偶扔掉！"阿宗心里很想这么说，却拼命忍住了。

阿宗很崇拜爸爸。爸爸身材高大，肌肉结实。只要爸爸在身边，阿宗就什么都不怕。

我不能让爸爸知道我这么软弱！

于是，阿宗将真心话咽了下去，小声问道：

"爸爸，您见过巫婆吗？"

"没有。不过，爸爸见过魔法师。"

阿宗惊讶得屏住了呼吸。

爸爸居然见过魔法师！

阿宗瞬间把巫婆玩偶的事情抛到了脑后，大声说道：

"我想听您跟魔法师的故事，快给我讲讲吧！"

"好啊。不过，听完我的故事后，你要乖乖睡觉，可以吗？"

"嗯！好！魔法师是什么样的？吓人吗？"

"一点儿也不吓人。爸爸遇到的那个魔法师和书里的魔法师完全不一样。他很年轻，很有礼貌，也很聪明。他身边还有一只猫呢。那只猫也很可爱，而且很会招待客人。它做的点心很好吃！"

"猫？您骗我的吧？"

"没有骗你！听爸爸从头给你讲……"

那个时候，我比你现在要大一些。

我有一个叔叔，他特别喜欢捉弄小孩子，老了也还是这样。不过他知道好多有趣的故事，所以小孩子们经常缠着他，让他讲故事。我也是其中之一。

一天晚上，叔叔把我们聚到一起后，从包里拿出一个白色的东西。

居然是一个头骨！头骨深陷的眼窝处还镶嵌着闪闪发亮的宝石。

我们看到头骨都害怕得尖叫起来。叔叔低声告诉我们，那是一块有魔法的头骨，来自一个被魔法师诅咒后失去了声音的人。

叔叔还说：

"那个男人想说话却无法发出声音。所以在他死后，他的怨恨留了下来，现在就附在这个头骨上。证据就是这个头骨偶尔会说话。如果把它放到枕边，晚上就会听到它好像在跟谁窃窃私语。只是谁也听不清楚它到底说了什么。怎么样，厉害吧？"

听到这里，我忍不住大声喊道："你说谎！"

叔叔以前经常骗人，还会故意吓人。我可不想再被他捉弄了。

叔叔生气地瞪了我一眼，说：

"这是真的。你要是不信的话，这个头骨就借你保管一周。你一直把它放在身边，肯定会听到它的声音。"

当然，我拒绝了。我很讨厌这种恐怖的东西。

叔叔却坏笑起来。

"哈哈，你怕了吧？也是，毕竟这是被诅咒的头骨，胆小鬼肯定不敢把它放在身边。"

我知道叔叔在用激将法，但是我最讨厌别人说我是胆小鬼，于是忍不住还口道：

"谁怕了！别说一周了，放在我这里两周都行！"

叔叔露出得逞的笑容。

"好，既然你都这么说了，那这个头骨就交给你了，一周后我再取走。到时候你就知道我没有骗你了。"

于是，那个吓人的头骨就被交到了我手中。

说实话，我非常后悔，我为什么非要这么说呢？但是，我已经当着大家的面收下了头骨，再还回去的话，大家就都知道我是胆小鬼了！

我只好把头骨带回自己的房间，放在床边的桌子上。唉，别说一周了，一个晚上我都不知道能不能撑过去。

我钻进被窝，紧紧闭上眼睛，心想：我要赶紧睡着。

可是天不遂人愿，越想睡就越是睡不着。不久我甚至开始胡思乱想：万一头骨趁我闭上眼睛的时候突然动了，或者突然说话了怎么办！

于是我一次又一次地睁开眼睛，确认头骨有没有什么动静。

时间慢慢流逝着……

突然，我听到有声音响起。那是非常微弱的耳语声，我听不清，但确实是从头骨处传来的。而且，头骨上镶嵌的宝石居然也开始闪闪发光！

我当时吓得差点儿尿裤子。我想逃，腿却不听使唤。我只好用被子蒙住脑袋，躲在被窝里。那一刻，我真真切切地感受到了恐惧。

谁来帮我把这个头骨扔到其他地方啊……在下周叔叔来取它之前，先帮我把它藏起来也好啊！

就在我瑟瑟发抖的时候，我隐约看到了光。

我小心翼翼地掀开被子，一张卡片赫然出现在床单上。那是一张我从未见过的漂亮卡片，它从中间对折起来，周身闪耀着淡淡的金色光芒。

好像看到救命稻草一般，我不由自主地抓住卡片，打开了它。

瞬间，金色的光芒将我裹住，空气中还散发着一股甜甜的可可香味。等回过神来时，我竟然站在一条陌生的街道上。

那里弥漫着大雾，看不到人影，一片寂静。

忽然，我看到了一束光！它从我身旁那栋建筑物的门窗里流溢而出，像是在邀请我进去一样。于是，我推开那扇白色的大门走了进去。

啊，直到现在，我还能清楚地回忆起那里的样子！

那里像一间大仓库，堆着许多东西：巨大的牙齿、美丽的指环、破旧的雨伞、破碎的镜子、炫目的宝石……

我呆呆地站在原地，不知所措。

这时，从物品之间狭窄的通道中走出一个年轻男子。他个子很高，有一头蓬松的栗色鬈发，围着一条时尚的深灰色围巾，镜片后的眼睛是奇异的琥珀色。

男子看到我后，说道：

"哎呀，真是少见呢！这么晚了，居然会有小客人光临本店！"

我不知道该说什么。我不明白自己为什么会来到这里，也不明白他为什么把我叫作"客人"。

看着迷茫的我，男子笑了。

"先到里面休息一下如何？要来一杯甜甜的可可吗？是我这里的管家猫做的哟！"

说着，男子带我来到了店铺深处的接待室。

说到这里，你应该明白了吧？对，这个男子就是魔法师。

接待室里有一只体格很大的橘黄色的猫。它穿着一件黑色马甲，系着黑色的蝴蝶领结，像人类一样直立行走。——它叫客来喜，是魔法师所说的管家猫。

我更加震惊了。不过，我正好饿了，就决定先接受他们的招待。

只见客来喜先在一个大马克杯里放了几块软软的

棉花糖，然后浇上热乎乎的可可。啊，那是我喝过的最好喝的可可！我几乎一饮而尽。

客来喜还准备了热乎乎的芝士火腿鸡蛋三明治当夜宵。我大口地吃着三明治，味道真的好极了。

只顾着享受美食，我甚至忘记了头脑里的疑问：我为什么会来到这里呢？

等我吃饱喝足后，魔法师告诉我，这家店叫"十年屋"，而他是能够使用"十年魔法"的时间魔法师。他问我来这里是不是想要寄存什么物品。

听到十年屋这么说，我立刻想到了那个头骨。

而就在我想到它的瞬间，它便立刻出现在了我的眼前。

我惊叫着后退了几步。那只叫客来喜的猫也飞速逃跑了。

只有十年屋没有表现出丝毫害怕，他甚至用愉悦的声音说道：

"我真没想到，您居然会拿来这个东西！"

他对我解释道：

"这是'通信头骨',是我们魔法师之间的联络工具,就像你们的电话一样。您这个是天气屋店主比比的,比比之前不知道把它落在哪里了,找了很久都没找到。没想到今天您把它带来了!这是您捡到的吗?"

我告诉十年屋,这个头骨是叔叔交给我的。

我从叔叔说"这是被诅咒的头骨"讲起,把我和叔叔打赌的事,我听到头骨里的声音而害怕得睡不着的事,都原原本本地告诉了十年屋。

因为我莫名觉得,对魔法师说谎会有很严重的后果。

十年屋听完我的话后忍不住笑了。他说:

"您叔叔是骗您的!这不是真的头骨,只是被做成了头骨的样子,可以说是设计师的恶作剧或恶趣味,是为了防止有人捡到后据为己有。想必是您的叔叔在哪里捡到了它。不过,你们怎么能听到里面传来说话声呢?难道……"

说着,十年屋拿起头骨检查了一番。

"啊,果然,镶嵌在眼窝里的宝石松动了。大概是摔坏了，所以其他通信头骨的声音就传了出来。不是什么大问题，修理一下就好。我可以把它交还给原来的主人吗？"

我不知该如何回答。

把它交还给真正的主人当然是最好的选择，可这个头骨是叔叔交给我的，我擅自把它交出去的话，叔叔可能会生气，还可能会到处说我是胆小鬼，说我是因为害怕把头骨扔了。

想到这儿，我怎么都说不出"可以"。

大概是看穿了我的心思，十年屋温柔地笑了起来：

"那么，您看这样行不行？由我来向您的叔叔说明缘由，请他归还头骨，这样应该就不会给您增添任何麻烦了。"

他都这么说了，我自然不会拒绝。于是我把头骨交给十年屋，并向他道别。

返回只是一瞬间的事情。我一迈出那扇白色的门，就发现自己回到了床上。

我掀开被子，朝床边的桌子上看去，原本放着头

37

骨的地方如今空空如也。

我清楚地知道刚刚的一切不是梦，而是真实发生的事情。

那个魔法师能说服叔叔吗？想着想着，我进入了梦乡。

一周过去了，叔叔没来取头骨。

两周过去了，叔叔还是没来。

我决定去叔叔家里问问。

两周不见，叔叔看起来有些憔悴。我刚提起头骨，他就惊叫了起来，身体缩成一团。

"啊，不要再提那个头骨了！我知道它已经不在你那里了！两周前，有个人拿着一闪一闪的头骨出现在我面前，问我能不能归还。我已经不想再见到那个头骨了！我本以为那只是别人丢掉的玩具，谁知道它居然真的是魔法师的诅咒工具！吓……吓死我了！你以后别再提它了，行不行？"

看来，叔叔被吓得不轻。从此以后，他再也不吓唬小孩了。

阿宗，你明白了吧？对，十年屋真的去找叔叔了。喜欢吓唬小孩子的叔叔被他彻底吓到了。

好了，我的故事讲完了。

阿宗呆呆地看着爸爸。

"你很难相信吧？爸爸曾经也这么胆小！

"爸爸当时真的特别害怕那个头骨，还羞于承认自己胆小。但是，后来爸爸知道了，无论是谁，小时候都会有害怕的东西，可能怕黑，也可能怕听鬼故事——至少爸爸小时候害怕这些。不过，正因为很害怕，爸爸才遇到了魔法师。"

说完，爸爸看向阿宗。

"你真的该睡了，爸爸也该走了。阿宗，你真的没有什么话想对爸爸说吗？"

爸爸在讲魔法师的故事之前也问过这个问题。那时，阿宗怎么都无法说出实话。

但现在……

阿宗看向爸爸，说道：

"爸爸，您可以把巫婆玩偶拿走吗？它在房间里，我会吓得睡不着觉的。"

他终于说出来了。爸爸笑了。

3

消失的记忆

十二岁的莉娅怀着悲伤的心情朝集市走去。现在，她满心想的都是奶奶。

莉娅的奶奶奥琪既有趣又温柔，总是满怀爱意地给莉娅做各种点心。莉娅一直为自己有这样一位奶奶而感到自豪。

然而，不久之前，奶奶生了一场大病，身体日渐衰弱。

生机从奶奶的身体中流失，宛如沙子从破了口的袋子中不断流走一般。

奶奶以前喜欢散步，喜欢时髦的东西，还喜欢做点心，现在却只能恹恹地躺在床上。

不仅如此，奶奶迷迷糊糊睡着的时候，还常常会骤然惊醒，痛苦地大喊："啊，想不起来了，我忘记了很重要很重要的事情！"

每当这时，家人总会安慰奶奶说："没关系的，忘记了也没关系。"

看到奶奶痛苦的样子，莉娅难受到无法呼吸。她想，如果能想起忘掉的事情，奶奶一定会好受一些吧。

但是，怎样才能让奶奶回忆起遗忘的事呢？

莉娅也不知道……

莉娅能做的也只有去集市上买些奶奶喜欢的水果而已。她想买些樱桃，但又不知道奶奶会不会吃。最近，奶奶胃口很差，连从前喜欢的水果也吃不下了。

奶奶的身体再这样衰弱下去的话，她会怎么样呢？

莉娅的眼眶中瞬间盈满泪水。她用力擦了擦。等放下手的时候，她发现自己被白色的雾气包围了。

"这是怎么回事？什么时候起的雾？"

浓重的雾气悠悠翻腾着，街上的景色变得一片模糊，暗青色的石砖建筑物若隐若现。

奇怪，街上明明没有这些建筑，我好像是一瞬间来到了一个陌生的地方。

莉娅不敢相信，于是她又向前走了几步。

很快，她看到了亮光。

这柔和的亮光吸引着莉娅继续前进。没多久，她来到一扇镶嵌着彩色玻璃的白色大门前。

看来要推开这扇门进去。

莉娅心里这么想着，也照做了。

门内似乎是一家店铺，堆积如山的物品几乎都是旧物，其中很多东西怎么看都像是废弃品，不过也有炫目的宝石和华贵的王冠。

忽然，从书堆的阴影里走出来一个年轻男子。

男子虽然年轻，身上却有一种不可思议的沉静气质。他留着蓬松的栗色鬈发，银框眼镜后是明亮的琥珀色眼睛。他身穿白色衬衫、深棕色的马甲和裤子，围着橄榄绿的围巾。口袋中露出的金色怀表链让他显得很时尚。

看到莉娅后，男子露出微笑。"欢迎光临十年屋。"

莉娅不知道该说什么。她只是被亮光吸引而来到了店里，并不想买什么东西。

看着扭捏不说话的莉娅，男子又笑了。

"客人您……啊，您不是想寄存东西，而是因为有想要的东西才光临本店。"

"想要的东西？"

"是的，您想要的东西是什么，请告诉我吧。"

他的声音轻缓而温柔，莉娅被打动了，不由自主地吐露了心声：

"我的奶奶好像忘记了很重要的事情，要是能让她想起来就好了。"

说完，莉娅涨红了脸。他一定很震惊吧，说不定会觉得我在说傻话。

然而，男子并没有吃惊，而是神色认真地点头道：

"哦，是记忆啊。请问，您奶奶的名字是……？"

"奥琪·泰顿。"

"嗯，我对这个名字有印象，请稍等。"

莉娅瞪大了眼睛。只见男子从胸前的口袋中拿出一本黑色皮面笔记本，哗啦啦地翻了起来，翻到某页时，他的手指停了下来。

"啊，找到了。奥琪·泰顿女士，确实在五十七年前来到本店，寄存了一段记忆。"

"奶奶……来过这里？还寄存了一段记忆？"

"是的。我是十年屋，会使用时间魔法。本店可以用魔法为客人保管物品。"

男子的声音宛如耳语。莉娅注视着他琥珀色的眼睛，忽然明白了。

这个自称"十年屋"的人是魔法师，这里是魔法商店，无论发生什么不可思议的事情都不奇怪。

所以，说不定我真的能帮奶奶找回记忆！

"那……我奶奶的记忆就在这里，对吗？我可以把它带走吗？奶奶说她忘记了很重要的事，她非常痛苦。也许，寄存在这里的记忆就是奶奶遗忘的那件事！"

十年屋却面带歉意地摇了摇头。

"抱歉，如果可以的话，我很乐意卖给您。但是，那段记忆已经不在这里了。"

"怎么会这样？！"

"本店的寄存期限为十年。十年期满时，我会给客人寄信，询问客人是否要取回寄存物。奥琪·泰顿女士当时拒绝取回记忆，于是这段记忆便成了十年屋的所有物，之后又被其他客人买走了。"

"……"

被其他客人买走了？再也取不回来了？

刚刚升起的希望瞬间又变成了绝望，莉娅简直要晕过去了。这时，十年屋又说："不过……说不定购买它的客人还保留着这段记忆，虽然形态可能已经改变……您要不要去看看？"

莉娅有些迷茫。

如果去了，发现连记忆的残片都没有了，该怎么办？我肯定会很难受的……但是，既然有一丝希望，去看看总是好的吧。

莉娅点了点头。

"请带我去吧。"

"好的，请稍等。"

十年屋从口袋里拿出一支紫色的粉笔，开始在地板上画圆圈。

莉娅在一旁问道：

"十年屋先生，刚刚你说……形态可能已经改变，那是什么意思？"

"就是字面上的意思。因为买走奥琪·泰顿女士记忆的，是改造屋的魔法师。"

"改造屋？"

"是的。我画好了，我们走吧。"

十年屋带着莉娅走进了刚刚画好的圆圈里。

"前往改造屋。"十年屋朗声说。

他的话音刚落，周围的环境就像融化掉一般扭曲起来。眼前堆满杂物的店铺渐渐隐去，取而代之的是全新的景色。

回过神来时，莉娅和十年屋已经站在一个完全不同的房间里了。

这里似乎也是一家店铺：桌子和架子上摆满了色彩鲜艳的物件，有小玩具和帽子，还有其他各种杂货……每一件商品都显示出店主的品位，而且可爱到让人禁不住发出惊叹。莉娅只看一眼就觉得自己的心要融化了。

这时，店铺深处走出一个身材小巧的老婆婆。莉娅惊讶得张大了嘴巴。

这个老婆婆的装扮太奇特了：她留着亮粉色的短发，连衣裙上密密麻麻地缝着各种各样的纽扣。她头上的帽子也很奇特：帽子顶上插满了针，帽檐上装饰着剪刀、毛线球和线轴。

十年屋亲切地对老婆婆说：

"都留女士，您好，打扰了。"

"十年屋啊，欢迎光临！你还带了客人来啊？"

"是啊。我想，您这里可能会有这位小客人想要的东西。"

十年屋将莉娅前来的原委告诉了都留。

"事情就是这样。这段记忆卖给您很久了，您还有印象吗？"

都留露出不满的笑容。

"可别把我当老骨头看待。我对自己创作的作品一

50

个都不会忘。——我当然还记得。那是一段很美好的记忆，所以我把它改造成了很美好的东西。但是，我也不知道为什么，它一直没能卖出去。"

"也就是说……"

"没错。"

都留重重地点了点头，看向莉娅。

"你很幸运，那段记忆还在我店里。稍等一下，我马上给你找出来。"

都留向店铺的角落走去，不一会儿就回来了。

"就是这个。"

都留递过来一个盒子，大小正好可以放到手心里。这个盒子用珐琅制成，表面画着银色和青色的波浪状花纹。

莉娅试着打开盒子。可是盖子合得紧紧的，纹丝不动。

"锁住了。"

"不是的。"都留摇头说，"我没给它上锁，刚改造好时就打不开。说不定……你的奶奶能打开它。"

都留的话让莉娅的心脏怦怦直跳。直觉告诉莉娅，把这个盒子给奶奶的话，一定会发生些什么。

于是她大声说："请把这个盒子给我吧，我想拿给我的奶奶！"

都留轻巧地从莉娅手中取回盒子，说：

"请先支付报酬。"

"多少钱？"

"我不要钱。我是改造魔法师，擅长把别人不需要的东西改造成美好的东西。所以，请给我一件你不再需要的东西。这就是报酬。"

"我不再需要的东西……"

莉娅立刻想到了自己的一只手套。

莉娅小时候，奶奶给她织了一双红色的手套，上面缝着金色的星星纽扣，莉娅很是喜欢。

一天，莉娅在去玩雪的路上把右手的手套弄丢了。她找了很久也没找到，内心非常失落。

手套只剩下一只，没办法戴了，但那是奶奶亲手织的，莉娅舍不得丢，就一直保存着。直到现在，那只手套仍好好地放在柜子的抽屉里。

与其说她多珍视这只手套，不如说是因为保存了太久，想扔掉也觉得于心不忍了。

所以，如果这位改造魔法师能将它改造成别的什么东西，那就太好了。

想到这里，莉娅手中立即出现了一只小小的红色手套。

她吓了一跳，战战兢兢地把这只手套拿给都留看。

"这个……可以吗？"

"嚯，可以啊。它完全可以买下这个盒子。现在，这个盒子是你的了。"

这么简单就得到了盒子，莉娅开心得脸上像染了红霞。

太好了，这下奶奶的心情一定能好起来。

十年屋瞥了莉娅一眼，看到她正抱着盒子，沉浸在喜悦之中，便悄声对都留说：

"对了，柜台上的花是封印屋的老波先生送的吧？

您大大方方地摆出来，约会很开心吧？"

"你怎么知道我们约会了？"

"整条魔法街都传遍了。"

"天哪，你们怎么这么八卦！"

"毕竟已经很久没有这么大的新闻了。接下来呢？你们还会约会吗？——先澄清一下，这可不是我想问的，是我家客来喜好奇。我只是替它问一下而已。"

"哼，净找借口。不过，很遗憾，即使你家那只可爱的猫亲自来问我，我也不会回答的。我要保持我的神秘气质。你赶紧回去吧。"

都留赶客了。

十年屋和莉娅走进地板上画的圆圈中。等莉娅回过神来时，他们已经回到物品堆积如山的十年屋了。

莉娅眨了眨眼睛。十年屋微笑着说：

"太好了，小客人，您找回了您奶奶的记忆。"

"十年屋先生，非常感谢你！我要马上拿回去送给奶奶！"

"嗯……可以让我再向您说明一件事吗？"

十年屋的神色变得认真起来。

"这个小盒子确实是用奥琪女士的记忆改造而成的，但它无法帮助奥琪女士恢复记忆……这一点您能理解吗？"

莉娅心里一惊，盯着小盒子陷入了沉思。

这是一个美丽的盒子，一个不知道里面装着什么的盒子。谁会想到它是用一段记忆做成的呢？

许久，莉娅缓缓说道：

"也就是说，记忆被改造了，已经无法回到奶奶的脑海中了？"

"是的。不过无论被改造成什么样子，它都注定要回到奥琪女士身边。改造屋的都留女士曾经说过，被珍重对待的东西和它的主人之间存在着某种缘分。无论它变成什么形态，这种缘分都不会消失。"

莉娅又看了看小盒子，然后轻声说：

"那段记忆是什么？十年屋先生，你如果知道的话，可以告诉我吗？这样的话，如果奶奶想不起来，至少我可以告诉她。"

十年屋露出犹豫的神色，最终还是点了点头。

"是啊，也许让您知道会更好。

"奥琪女士曾经有一位深爱的恋人。但是，他必须出海工作。临行时，他送给奥琪女士一枚蓝宝石戒指，并这样说：

"'请等我一年。一年后，如果我能回来，这枚戒指就永远属于你，而我们也将永远在一起。如果我没有回来，请你忘了我，和其他人结婚，幸福地生活吧。'

"奥琪女士回答道：'不，我会一直等你，你一定要回来。'之后，她的恋人就乘船出海了……可是这一走，他却再也没回来。"

"为什么？"

"海洋充满危险。可能他乘的船遇到了风暴，或者撞上了冰山……也可能是他遇到了别的人，忘记了奥琪女士……总之，他没有回来。"

"那奶奶接下来怎么样了？"

"奥琪女士等了四年。第五年，她和自己从小就认识的一位男士结婚了——就是您的爷爷。"

"爷爷……"

"奥琪女士婚后生活很幸福，丈夫很温柔，他们一起养育了许多孩子。但是，越是过得幸福，奥琪女士内心深处就越痛苦。

"因为她没有遵守约定，只等了四年，她明明说过会一直等下去的。她觉得自己背叛了恋人，又觉得自己这种心态对不起丈夫，于是心头交织着思念、恨意与愧疚。这些情绪像一张网，越缠越紧……

"终于有一天，奥琪女士推开了本店的门。为了缓解痛苦，她将有关昔日恋人的回忆寄存在本店，还将那枚蓝宝石戒指给了我。我接下了这份委托，将她对恋人的回忆封印在戒指里存了起来。十年后，我再次联络她，问她要如何处理戒指和这段记忆。"

"奶奶拒绝拿回去？"

"是的。于是，那枚戒指和那段记忆正式归十年屋所有。后来它们被都留买去，又被改造成了小盒子。关于奥琪女士的记忆，我所知道的就是这些了。"

此时，莉娅什么话都说不出来，只是呆呆地看着手中的小盒子。

在莉娅的记忆中，奶奶很有活力，每天都乐呵呵的。她根本想不到奶奶的内心会藏着这么一段悲伤的故事。眼前这个打不开的盒子就是用这段故事做成的，这样的东西，真的要交给奶奶吗？

"我是不是不该把这个盒子交给奶奶？"莉娅迷茫地小声问道。

十年屋微笑着说：

"我认为还是应该交给奥琪女士。我不知道奥琪女士怎么会察觉到自己缺少了一段记忆。不过，既然她因为缺少记忆而痛苦，那这个小盒子一定会对她有所帮助。"

十年屋的话让莉娅下定了决心。

"非常感谢你。我要回家了，回到奶奶身边。"

"路上保重。"

在十年屋的目送下，莉娅走出了白色的大门。

一瞬间，莉娅就回到了熟悉的地方。她回头看去，白色的大门和雾气缭绕的街道都已经不复存在。

莉娅有些恍惚，但是她很快回过神来，抓紧盒子朝家里跑去。

回到家后，莉娅立刻来到奶奶的房间。奶奶躺在床上，已经醒来，但她的眼睛没有聚焦，让人看不出任何感情。

莉娅有点儿犹豫，但还是靠近奶奶，轻声说：

"奶奶，我是莉娅，可以跟您说说话吗？"

奶奶动作迟缓地看向莉娅。

"是莉娅啊，怎么了？"

"我今天找到一个特别好的东西，想给奶奶看看。您看，这个是奶奶的东西！"

说着，莉娅轻轻将盒子放到奶奶的手心里。

奶奶眨了眨眼，低头看向盒子。

"我不记得了……这个真的是我的东西吗？"

"是的！"

"哦……我想不起来了。不过，这个盒子真漂亮，里面装着什么呢？"

奶奶轻轻抚摸着盒子。

只听啪的一声，盒子开了。

盒子里面是一片小小的海洋，海洋中央是一座美丽的绿色小岛，小岛旁停着一艘帆船。随着音乐声响起，帆船绕着小岛航行起来。

"原来是八音盒啊……"

莉娅欣赏起音乐来。那音乐明明很悠扬，却给人一种悲伤的感觉。

帆船也是一样。它只围绕着小岛航行，却没有登陆。无论等多久，它都不会到达海岛。

就像是奶奶一直等待着的，却始终没有回来的恋人一样……

莉娅的内心泛起一阵苦涩。

奶奶的反应却不同，听着八音盒里的音乐，奶奶的神色逐渐变得平静。

"真是美妙的曲子。我喜欢这支曲子，很喜欢。我总感觉，我以前听过很多次。"

"是吗？"

"嗯，我总觉得非常非常耳熟。"

最后，奶奶抱着八音盒睡着了，脸上浮现出幸福的笑容。

几天后，奶奶安详地离开了。莉娅很伤心，却也感到宽慰。八音盒来到奶奶身边后，她再也没有慌乱而无助地大喊"我忘记了很重要很重要的事情"了。

莉娅特意将八音盒放进奶奶的棺材里，它再也不会离开奶奶了。

4

玩具的旅程

七岁的皮诺气得脸颊鼓鼓的。

好生气，为什么会这样！自己明明有很想要的东西，却怎么都得不到！

皮诺现在特别想要一个玩具。那是镇上的玩具店刚进的新货——骑士人偶。人偶身穿闪闪发光的铠甲，手握长剑，而且它的手和脚都是可以动的，帅气极了！

皮诺一眼就相中了它，每天都求着爸爸妈妈给他买。

爸爸经不住皮诺的央求，很快败下阵来，妈妈却始终坚决拒绝。

"不行！给你买骑士人偶的话，皮皮猫就太可怜了。"

皮皮猫也是一个玩偶，是皮诺两岁生日时收到的礼物。它是一只黑猫，头上戴着漂亮的红帽子，脚上穿着靴子，看起来很伶俐。

皮皮猫从来到皮诺身边的第一天起，就成了皮诺最好的朋友。皮诺特别喜欢它，已经数不清和它一起玩耍多少次了。

但对现在的皮诺来说，皮皮猫太孩子气了。皮诺也玩腻了，他觉得是时候增加新的玩具了。

"就算买了骑士人偶，我还是会好好对待皮皮猫的，我以后也可以帮忙做家务。给我买嘛。"

"不行，你怎么求我都不行。"妈妈坚决地说。

所以皮诺才气得脸颊鼓鼓的。

跟妈妈讲不通道理！她怎么就不明白骑士人偶的好呢？

骑士人偶是我的。我看到它的第一眼就知道。在它被其他孩子买走之前，我一定要得到它！

皮诺回到自己的房间，不自觉地拿起了皮皮猫。它的尾巴已经破了，靴子和帽子也看不出原本的样子了。但它蓝色的眼睛还是很漂亮，可惜胡子只剩下两根了。

看着破旧的皮皮猫，皮诺内心的怒火一下子涌了上来。

都是因为有皮皮猫在，我才不能买新玩具。要是皮皮猫不见了就好了。那样的话，妈妈可能会安慰我说："不要伤心了。对了，我给你买你一直想要的那个骑士人偶吧。"

对啊，干脆把皮皮猫扔掉吧！

扔掉？

突然冒出的想法把皮诺吓了一跳：我怎么会有这样的想法？

皮诺急忙抱住皮皮猫，轻声说："我不会把你扔掉的。我绝对不会把你扔掉的。我只是希望你能暂时消失一阵子。我该把你藏到哪里呢？埋进土里的话，你会变脏，可放到别的地方，我又怕你被别人拿走。"

皮诺想把皮皮猫藏到一个安全的地方。

这时，不知道为什么，皮皮猫的帽子突然掉了下来。皮诺明明没有碰到帽子。

皮诺捡起帽子，发现里面有一张卡片。

"这是什么？"

他不记得自己在皮皮猫的帽子里放过卡片。他困惑地歪着头，把卡片拽了出来。

这是一张对折的卡片，很精美，正面写着"十年屋"三个字，背面也写了很多字。不过皮诺没仔细看，而是直接打开了卡片。

瞬间，金色的光芒涌了出来。

"啊！"

耀眼的光芒让皮诺闭上了眼睛，但他心里并不感到害怕。因为那光芒温暖又轻柔，还带着一股好似地上堆积的落叶的香气。那香气让皮诺回忆起一片秋日的森林，他曾在那儿和皮皮猫玩得不亦乐乎。

等到光芒暗淡下来，皮诺睁开了眼睛。他发现自己身处一条陌生的街道。街道很长，路面铺着石板，两旁矗立着许多石头建筑。整条街都笼罩在白茫茫的雾气中，四下寂静无人。

皮诺紧张得抱紧了怀中的皮皮猫。

接着，他看到了灯光。

有人在那儿。皮诺想去问问这里是什么地方，怎么走才能回家。

于是，皮诺快步朝着灯光的方向走去，来到一扇白色的大门前。

皮诺推开门进入屋内，不禁发出感叹："哇，好壮观！"

门里的景象让他感到很惊奇：五花八门的、稀奇古怪的、闪闪发光的、破旧不堪的玩意儿堆积成山。

好壮观，好有趣！这里简直就像海盗藏宝的洞窟。

皮诺一边东张西望，一边朝里面走。

他很快就来到了柜台前。柜台内侧，一个戴着银框眼镜的年轻男子正在和一只橘黄色的大猫下棋。

"呃，等……等一下，客来喜。"

"主人，我可不等。"

"但是，如果我把骑士下在这里的话……"

"嘿嘿，那主人就输定啦。"

大猫得意地说着，捧起茶杯喝了一口茶。它穿着马甲，举止跟人类没什么区别。最神奇的是，它居然会说话！

皮诺呆住了。

男子抬起头，发现了皮诺。

"客来喜，有客人来了！"

"哇！暂停下棋，我马上去准备茶点！"

这只名叫客来喜的橘黄色大猫跳出柜台，快速跑进了里面的房间。

男子站起来，走到皮诺面前。他的个子很高，衣着优雅而时髦——白色衬衫、深棕色的马甲和裤子，搭配着红宝石色的围巾。

男子有一头蓬松的栗色头发，琥珀色的眼睛投射出柔和的光芒。他向皮诺行礼，说：

"没能注意到您光临，是我的严重失礼。小客人，欢迎来到十年屋。"

"客人？"

"对，来到这里的人都是客人。请称呼我为'十年屋'。先来点儿甜品怎么样？现在刚好是三点，是本店的下午茶时间。"

说着，十年屋带着皮诺来到了里间的接待室。这是个舒适的房间，客来喜正在这儿匆忙准备茶点。

看到桌子上的东西后，皮诺眼睛亮了。桌上摆着一张大馅饼，一看就很好吃。从香味来判断，这是皮诺最喜欢的苹果派。

客来喜将苹果派切成几小块，分别盛在盘子里，又在每个盘子里加了一大勺香草冰激凌。

接着，客来喜转过身，对馋得眼珠子都快要掉下来的皮诺说：

"客人，请尝尝刚烤好的苹果派吧。"

"哇，可以吗？"

"当然可以。您想喝点儿什么吗？这里有冰茶、牛奶，还有果汁。"

"请给我牛奶吧。"

皮诺急忙来到桌边。他刚想坐下，发现自己怀里还抱着皮皮猫。他有点儿担心这样拿着玩偶吃东西会显得很不礼貌。

于是，皮诺小声对端着牛奶回来的客来喜说：

"我的玩偶，你能暂时帮我收起来吗？"

看到皮诺递过来的皮皮猫后，客来喜瞪圆了眼睛。

"哇，好帅气的玩偶……啊，好，我知道了，一定好好保存客人的玩偶。"

客来喜说完，小心翼翼地抱起皮皮猫，坐到角落的一把椅子上。

这下可以吃东西了。

皮诺开心地坐了下来。刚咬下第一口苹果派，皮诺就惊呼起来：

"太好吃了！"

刚烤好的苹果派热腾腾的，馅里的苹果变得软软糯糯的，像果酱一样，再配上冰冰凉凉的冰激凌，简直没有比这更讲究的吃法了！苹果派的酸甜滋味和香草冰激凌醇厚的香甜融在一起，让皮诺感到由衷的幸福。

十年屋微笑地看着专心品尝点心的皮诺。等他吃饱后，十年屋告诉他，这里是魔法师的店铺，无论什么东西都可以放心地寄存在这里。

"真的什么东西都能寄存吗？"

"是的，我会施加时间魔法，十年保管期内，客人的物品绝对不会变脏、受损或丢失不见。不过，我会收取报酬，就是客人生命中一年的时间。"

"我一年的时间？"

"是的。时间魔法的作用机制便是如此，以时间换时间。"

为了得到骑士人偶，皮诺很想把皮皮猫暂时保存在十年屋。但是，他需要付出自己的时间，这又让他想要退缩。

"可以……可以让我稍微考虑一下吗？"

"当然，请慢慢考虑。"

皮诺站了起来，他想再仔细看看皮皮猫，理一理自己的想法。

　　他看向房间的角落，发现皮皮猫还在客来喜的怀里。只见客来喜紧紧抱着它，用脸庞贴着它，一副陶醉而满足的样子，甚至发出了呼噜噜的声音。

　　皮诺没想到客来喜这么喜欢皮皮猫。不过，他还是走到客来喜跟前，说：

　　"那个……能把皮皮猫还给我吗？"

　　"啊？哦，抱歉！"

　　客来喜慌张地把皮皮猫还给了皮诺。

　　皮诺将皮皮猫拿在手中，仔细端详起来。

　　这是我最心爱的玩偶，是我从小到大最好的朋友。

　　但是，它值得我付出一年时间吗？我本来想买到骑士人偶后就立刻把皮皮猫取回来的，根本不需要寄存十年时间呀。再说了，我可以把皮皮猫藏在阁楼的角落里，妈妈肯定找不到。要不还是算了吧，即使不借助魔法，我应该也能藏好它。

　　这时，十年屋走到皮诺身边。

　　"难道说，这就是您想寄存的东西？"

　　"嗯。但是，我还是决定不寄存了。"

"这样也好。那么，您要回去了吗？"

"嗯。"

话音刚落，皮诺就听到一声长长的叹息。

他回过头，只见客来喜耷拉着脑袋，好像很失落的样子。

皮诺一下子明白了，客来喜不想和皮皮猫分开。看来，客来喜真的很喜欢皮皮猫。

十年屋应该也察觉到了，他为难地歪着头，说：

"怎么了，客来喜？这可不像平时的你。"

"才没有。"

"这可不行呀。你想要客人的东西，这可违反了店里的规则。"

"我知道。"

客来喜低着头，小声说道。它又偷瞄了皮皮猫几眼。

皮诺很能理解客来喜的心情。当一个人很想要一件东西却又得不到的时候，他内心是很煎熬的。

皮诺再次看了一眼皮皮猫。

这是他最心爱的玩偶，但是，以后他还能和它玩几次呢？实际上，最近大多数时候，他都只是单纯地把皮皮猫摆在床头，不再想和它一起玩耍了——皮诺长大了，已经过了和皮皮猫玩耍的年龄了。

这与骑士人偶无关。总有那么一天，皮诺会离开皮皮猫。只是他和皮皮猫有很多回忆，所以他舍不得放手。不过，用不了多久，他就不会再把皮皮猫当作最好的朋友了。妈妈会把皮皮猫当作他不再玩的玩具收进柜子里，而他毫无疑问会接受妈妈的做法。

啊，与其这样……

咔嗒。皮诺似乎听到自己内心传来一个声音。

就像两个齿轮严丝合缝地合上时发出的声音，是他不再迷茫，终于明白自己该怎么做的声音。

皮诺深深地吸了一口气，把皮皮猫递给了客来喜。

"既然你这么喜欢皮皮猫，我就把它送给你吧。"

"啊？！"客来喜绿宝石色的眼睛瞪得圆圆的。

十年屋叫了起来："这怎么行！这是对小客人来说很重要的东西吧？"

"是的……但是，我觉得这样做是最正确的选择。"

比起偷偷摸摸地把皮皮猫藏起来，把它送给真正想要它的对象，更能让它获得幸福吧。毫无疑问，客来喜一定会好好对待皮皮猫的。一想到皮皮猫会继续被珍视，皮诺就感到安心。

虽然难以用语言表达，皮诺还是努力尝试着表达自己的心情：

"皮皮猫是我的宝贝，是我的好朋友。但我已经长大了，以后不会经常陪它玩了。所以，如果客来喜你能答应我，好好对待它，我就把它送给你。怎么样？"

客来喜眨了眨眼睛，气势十足地点了点头，说：

"好，我答应你，我一定会对皮皮猫特别好，特别特别好！"

"那么，现在皮皮猫是你的了。"

皮诺把皮皮猫递给客来喜的时候，心里其实很难过。但是一看到客来喜幸福地抱住皮皮猫的样子，他不由得心想，果然这样做才是对的。

皮诺咬着嘴唇，准备离开了。

十年屋说："小客人，这样真的好吗？"

"嗯，这样很好。我觉得这样更能让皮皮猫获得幸福。我想回家了。"

"好，欢迎您下次再来。下次我会好好地为您提供服务的。"

十年屋温柔地目送皮诺离开。皮诺推开那扇白色的大门，下一秒便回到了自己的房间。

房间里的陈设没有什么变化，除了皮皮猫不见了。皮皮猫不在皮诺的怀里，也不在桌子上——哪里都没有皮皮猫了。

一想到再也见不到皮皮猫了，皮诺忍不住流下了眼泪。

他越想越觉得难过，最后趴在地板上哇哇大哭。听到他的哭声，妈妈冲进了他的房间。

"皮诺！怎……怎么了？"

"妈妈！"

皮诺哭着扑进了妈妈的怀里。

"我认识的一个新朋友很想要皮皮猫，很想要很想要，我就把皮皮猫送给它了。它跟我约好了，说它会好好照顾皮皮猫。我觉得这样对它好，对皮皮猫也好。可我还是……呜呜……"

妈妈一直紧紧地抱着抽泣的皮诺。

过了一会儿，妈妈温柔地说：

"皮诺，你做了个重大的决定。妈妈觉得你这样做没有错，你确实应该把皮皮猫送给会陪它玩的朋友。"

"嗯。但我还是很难过！"

"妈妈明白。妈妈一想到再也见不到皮皮猫了，也会感到舍不得。但是你不觉得皮皮猫现在很幸福吗？不要哭啦，我们一起去玩具店吧。不管你想要什么，妈妈都会给你买。"

妈妈这句话，皮诺已经期待很久了。

但现在……

"妈妈，不用了，我暂时不想要玩具了。"

"是吗？"

"嗯，我不要玩具了。你能给我买彩色铅笔吗？"

皮诺想画画。

他想把皮皮猫和客来喜一起玩的画面画下来，画很多很多幅。

5 被拒绝的委托物

拉妮又生气了。

近来，这个十四岁的少女总是在生气。

被爸爸妈妈送到一所管理严格的学校，她生气；面对学校必须住校的规定，她生气；早饭没有喜欢的煎鸡蛋，她生气；体育课要学习网球，她也生气……

"这是什么破地方嘛！"

她给爸爸妈妈写了很多封信，诉说自己有多讨厌这所学校，有多想要回家。然而，爸爸和妈妈一直不为所动。

"托瓦特学校可是历史悠久的著名中学，你要在这里好好学习知识，好好学习做人的道理，磨一磨你那任性又暴躁的脾气。"

每次收到爸爸妈妈这样的回信，拉妮都暴跳如雷。她会把信撕成碎片，把桌子和椅子都踢翻在地。然后，她便会受到老师严厉的批评。

老师们都把拉妮当成重点关注对象，他们锐利的目光时不时就会落在拉妮身上。

不仅老师们不喜欢拉妮，由于拉妮目中无人又常常出口伤人，同学们也不愿意和她交朋友。

强烈的孤独感让拉妮变得更加暴躁，大家也觉得她更加难以相处了。

但是，拉妮从不认为自己有错。她觉得错的是其他人，错的是这个环境。

拉妮每天都这么想：

我真可怜啊，被迫待在这个令人窒息的地方。床很硬，饭也很难吃。我说过很多次，如果不吃蜜饯，我的健康就会受到影响，但学校就是不允许我带零食。

而且，老师们也太偏心了！上次凭什么只批评我一个人？我是用球砸了尼娅，可那都是因为她不理我。后来她哭得厉害，大家就都同情她，觉得是我的错。我哪里有错了？！

拉妮积累的怒气和不满总在不经意间爆发。然而她越闹，后果就越糟糕。

拉妮自己也终于意识到了这是个恶性循环。

再这样下去，我可能要一直住在学校里了。这绝对不行。我得让大家知道我是个好学生。对了，考试！如果我能在考试中取得好成绩，爸爸妈妈一高兴，说不定就会向学校特别申请，让我回家住。

好在拉妮头脑很聪明。她认真学习后，成绩很快好了起来。

但是，拉妮无论怎么努力，都考不了第一名。一个叫赛丽的女孩总是排在她前面。

赛丽性格沉稳又温柔，学习也很努力，成绩总是全年级第一。老师和同学们都很喜欢她。

拉妮忍不住开始忌妒赛丽，并想要打败她。

下一次考试，我一定要想办法超过赛丽。可是我的头脑没有赛丽聪明，她就像个天才，无论是老师的话还是书上的知识，她都能立刻理解并消化成自己的东西。

拉妮觉得自己必须想点儿别的办法。

一开始她计划用一些"小动作"让赛丽受伤。

但很快，拉妮发现这个计划行不通。赛丽身边总是有很多朋友，热热闹闹的。拉妮根本找不到机会靠近她。

接着，拉妮散播谣言，说老师偏心赛丽，会在考试前偷偷告诉赛丽考试的重点。

但是这个谣言也不攻自破，因为不论是全市统一出试卷的考试，还是同学们随机出的题目，赛丽总能全部答对。

拉妮气坏了，开始故意把赛丽的东西藏起来。

钢笔、围巾、教科书……

拉妮想，那么多东西都找不到了，赛丽一定很不安，就会无心学习了吧？

然而，豁达的赛丽完全不在意这件事情。

"我最近迷迷糊糊的，丢了很多东西。唉，我真是个粗心鬼。"

拉妮无论做什么都无法打击到赛丽，这让她更焦躁了。终于，拉妮的怒火抑制不住地燃烧起来，她内心的恶意像熔岩一样喷发出来。

被忌妒蒙蔽了双眼的拉妮想出了一个愚蠢的计划，那就是第二天上泥塑课时，她一定要让赛丽当众出丑。

她看了很多恶搞他人的方法，最终决定用"臭黑泥法"让赛丽崩溃。美术课上，大家都在认真画画的时候，她偷偷溜出教室，潜入了学校的小饲养场。

学校为了让孩子们了解动物的成长过程，培养孩子们对动物的关爱之心，专门饲养了兔子、鸡、鸭、鹅、猪等小动物。虽然值日生每天都会清理小动物的粪便，但角落里还是免不了残留着少许污泥。拉妮捂着鼻子，把臭臭的污泥装进提前准备好的塑料袋中，一脸心虚地回到了教室。

那天夜里，拉妮趁老师不注意，偷偷溜出宿舍，来到空无一人的校园，开始制作臭黑泥。

整个制作过程中，拉妮好几次都强忍着才没有恶心得吐出来。在忌妒心的驱使下，她还从班级合照中把赛丽的头像剪下来，跟臭黑泥拌在了一起。

然后，拉妮把制作好的臭黑泥装进了泥塑课的材料包中，她想明天早上趁大家不注意的时候，把这个材料包和赛丽原本的泥塑材料包调换。

拉妮把装有臭黑泥的材料包拿回自己的房间，藏在了床下。为了不让别人发现，她在材料包外边又套了好几层塑料袋来掩盖气味。

第二天早上，拉妮被一个大嗓门吵醒了。

"大家快起床，我们要检查宿舍，请尽快离开房间。"

是宿舍管理员的声音。拉妮脸色铁青地从床上跳了起来。

宿舍管理员时不时会突击检查学生宿舍，看看是否有人带了学校禁止带的东西。宿舍管理员堪称寻找违禁物品的行家。迄今为止，已经有很多学生的违禁物品被搜出来了。

要是被管理员发现那个装有臭黑泥的袋子怎么办？虽然不是漫画和零食，但不管是谁都会觉得那袋又黑又臭的泥有问题。

宿舍管理员一定会告诉老师，然后老师会通知爸爸妈妈，我一定会受到更严厉的批评！这怎么行！

想到这儿，拉妮急忙从床下拿出那个袋子。

怎么办？拉妮咬住下唇。

要放弃计划，把臭黑泥拿到厕所冲进下水道吗？但是，这不就功亏一篑了吗？而且臭黑泥散发的气味一定会引起周围同学的注意，我还是会被发现的！

脚步声越来越近，宿舍管理员马上就要到拉妮的房间了。

"藏起来，拉妮。你必须把这个袋子藏起来，藏到一个安全的地方！"拉妮对自己说。

就在她拿着袋子在房间里走来走去的时候，突然有什么东西从天花板上飘了下来。

那是一张深棕色的对折起来的卡片，边缘装饰着金色和绿色的藤蔓纹样，还闪着淡淡的光芒。

尽管现在情况紧迫，拉妮还是被卡片吸引住了。反应过来时，她已经捡起并打开了卡片。

"啊!"

强烈到让人睁不开眼睛的光芒从卡片中溢了出来，拉妮不由得大叫出声。她感觉这个光芒要把自己吞噬掉了，而且，她还闻到一股厚重的泥土的味道。

这是什么？

就在她仓皇失措的时候，光芒消失了，泥土的味道也闻不到了。

拉妮战战兢兢地睁开眼睛，随即发出一声小小的惊呼。

她发现自己已经不在宿舍里了，而是站在一条陌生的街道上。雾气笼罩着冷灰色的街道，四下里空无一人，寂静无声。

真是个奇怪的地方。拉妮这样想着，迈出了脚步。她看到前面有灯光。

前方建筑物的窗户透出朦胧柔和的灯光。看来里面有人。

拉妮来到这栋建筑前，推开了白色的大门。门里面是一个像仓库一样的地方，堆满了废旧的物品。怎么这么乱？拉妮皱起眉头，向里面走去。

里面有一个男子，围着树莓色的围巾，穿着白衬衫、深棕色的马甲和裤子，看起来是一位打扮考究的绅士。他戴着银框眼镜，正在擦拭一枚绿宝石戒指。

接着，一只橘黄色的猫从绅士背后的门里走了出来——竟然是像人一样用后腿行走！它穿着黑色的天鹅绒马甲，系着黑色蝴蝶领结，两手捧着托盘，用甜美的声音对男子说：

"主人，吃甜点的时间到了。"

"哦？太好了！客来喜，今天的甜点是什么？"

"西洋梨蜜饯和芝士司康。饮品是冰镇红茶。"

"真棒！等我把这里收拾一下就吃……哎呀！"

这时男子才注意到拉妮，他立刻露出了微笑。

"客来喜，请你再准备一份甜点，有客人来了。"

"好，我这就去厨房准备！"

客来喜轻快地走进了里面的房间。

男子缓缓走到拉妮身边。拉妮莫名紧张起来。可能因为男子的眼睛是少见的琥珀色，拉妮感觉他的目光似乎可以看到人的心底。她不想被男子看到自己手里的袋子，急忙把它藏到了身后。但她还是无法完全平静下来。

但是男子似乎很欢迎拉妮，还称呼她为"客人"。这让拉妮很吃惊。

"客人？"

"来到十年屋的都是客人。您也是有需求才向十年屋求助的吧？"

"我……我不知道自己是怎么来到这里的。这儿到底是什么地方？"拉妮困惑地问。

"本店叫十年屋，是魔法师的店铺。无论什么东西都可以在这里寄存十年，保证毫发无损。"

拉妮听完眼睛一亮。

"我也有东西想寄存在这里，可以吗？"

"当然可以，我很荣幸。不过，请允许我多说两句。我会给寄存在这里的物品施加十年魔法，同时我需要收取客人一年的时间作为报酬。"

"啊？"

“如果您还愿意寄存，我马上就可以为您办理。您觉得怎么样？”

拉妮明白了魔法师的意思，犹豫起来。时间……还是一年的时间，这也太过分了吧？就为了这个捉弄赛丽的袋子，付出一年的时间也太……

一开始，拉妮感到恐惧，接着，怒气涌了上来。

“这代价也太高了，而且我没打算寄存十年。三天后我就来取，只收我一小时的时间不行吗？”

“抱歉，时间魔法的规矩就是如此。”

魔法师干脆地摇了摇头。

“和寄存的时间长短无关，寄存一次的代价就是一年的时间。如果您无法接受的话，我们也不会接受您的委托。”

“太过分了！”

“魔法交易就是这样的。客来喜已经在接待室为您备好茶点。您要不要先吃点儿零食，慢慢考虑？”

拉妮勃然大怒道：

“我才不要零食！别以为给我点儿零食就能糊弄

我！我又不是小孩子！"

"不，我没打算这样做……总之，请您认真考虑后再决定。"

拉妮紧紧咬着下唇。她很清楚魔法师一点儿折扣都不打算给她，她装可怜或是暴跳如雷都没用。

怎么办？如果就这么回宿舍的话，会发生什么？

拉妮能预想到这个袋子被发现会有什么后果。"我们没有你这样会故意捉弄别人的孩子！"爸爸妈妈一定不会饶了她，没准儿还会把她转到一所管理更严格的学校。

啊，光是想想就害怕。不行，我不能被发现。这件事无论如何都得保密。

拉妮终于下定决心，不情不愿地说：

"那行，一年就一年吧。但你得保护好它，绝对不能交给别人。还有，我希望你能替我保守这个秘密。"

"当然。那么，您要寄存的东西是什么？"

拉妮从身后拿出装着臭黑泥的袋子。一看到这个，魔法师一直平静的面孔抽动了一下。

"这……这是……"

"你什么都不要问，赶紧帮我保存起来就可以了。这是你的生意，对吧？"拉妮狂妄地说。

魔法师垂下眼帘。

"非常抱歉，客人，本店无法帮您保存这个东西。"

听到意想不到的话语，拉妮这次真的气血上涌了。

"什么？！为什么？你明明说什么都可以的！"

"非常抱歉，我忘了提前向您说明一件事。本店确实什么都能寄存，但有个前提——寄存的物品得是客人自己的东西……这里面有不属于您的物品吧？"

拉妮一下子明白了，是赛丽的照片。但是，她不能这时候放弃。

拉妮瞪向魔法师。

"所以你想说什么？这是我做的东西，不管材料是谁的，做好了就是我的东西！不是吗？你快点儿收下吧。"

"那么，您能把照片取出来吗？这样我就可以接受您的委托了。"

"不行，那样我的计划就不完整了！……啊！"

不小心说漏嘴了，拉妮的脸色变得铁青。她绝对没打算把捉弄赛丽的事情也说出来。

拉妮看向魔法师，发现对方正用一种不可言喻的目光看着她。那似乎是一种怜悯的目光。被这种目光注视着，拉妮感到自己要羞愧死了。她无法忍受那种羞愧，心中的怒火更盛了。

"我好不容易下定决心在这里寄存，你现在又说不行，你耍我！你算什么魔法师！把我当傻瓜啊！我受够了！"

怒火将拉妮的理智燃烧殆尽，她一把将外面的塑料袋撕开，把装有臭黑泥的材料包重重摔在地板上。材料包一下就裂开了，又臭又稀的黑泥顷刻间溅得到处都是。

"客人，请冷静！"

"烦死了！我要走了，你让开！"

拉妮用力推开魔法师，向白色大门跑去。出门前，她还对着离她最近的物品山重重地踢了一脚。

轰隆隆，哗啦啦，砰！

巨大的声音响起，物品山轰然倒塌，扬起的灰尘模糊了一切。

看到这个场景，拉妮解气地说：

"这是你自找的！"

拉妮飞奔着离开了十年屋，下一秒就回到了自己的宿舍。

几乎在拉妮反应过来的同时，门开了。宿舍管理员走了进来。

"拉妮，你在做什么？快出去吧，我们要开始检查了。你听见了吗？"

"啊，好……好的。"

尽管被赶出房间，拉妮还是露出了得意的笑容。

她虽然还在生魔法师的气，不过也为自己及时处理了臭黑泥而庆幸。

拉妮的心情微妙地舒畅起来。

而十年屋那边……

听到从店里传来的巨响后，客来喜慌忙从厨房飞奔出来。看到漫天飞舞的尘埃和乱糟糟的店铺，它的尾巴像刷子一样夯起了毛。

"主人，发生什么事了？您没事吧？"

"啊，客来喜，我没事。喀喀，店里有些乱，喀喀，但我没有受伤。"

飞舞的灰尘中终于显现出十年屋的身影。尽管栗色的头发变得蓬乱不堪，时尚的围巾和马甲上沾满了灰尘，但他的神情一如往常。

客来喜松了一口气，飞奔过去。

"没受伤就好。不过，到底发生了什么事？"

"刚才那位客人生气了。虽然她看起来就像容易生气的人，但是我没想到她会这么不计后果地在魔法师的店里胡闹。"

说着，十年屋的目光一凛。

"主……主人？"

"每个人都要为自己的行为负责。客来喜，收拾店铺的任务可以交给你吗？我有事情要做。"

说完，十年屋大步朝门外走去。

一对年轻夫妇从睡梦中醒来。女人望了望襁褓中熟睡的婴儿，长舒了一口气。

"小拉妮睡得真香啊。"

她侧过头，看着同样睡眼惺忪的爱人：

"老公，我刚刚做了一个非常可怕的梦。我梦到我们的女儿长大后进入了一所有名的中学，却捉弄同学，顶撞老师，还……"

"还惹怒了魔法师，对不对？"

"怎么……难道你也做了相同的梦？"

"是啊。"男人挠了挠头，"我梦到一个年轻的魔法师来找我们。他看起来很温柔，讲话的神情却异常严肃。他说我们没有教育好女儿，除了学习，还要培养孩子健全的人格……他给我讲了许多道理。明明是梦，可我现在还能清晰地回忆起他说过的每一句话……"

"我也是。我记得那个魔法师临走时说，虽然拉妮犯了错，但一切都还来得及，只要我们重新陪她长大，认真养育她……"

"对，他说拉妮的人生将重新开始，希望这次我们能好好把握机会。"

"我在梦里好像真的过了十四年，看着拉妮慢慢地长大。"

"我也有同样的感觉。这真是个奇怪的梦。它实在太真实了，真实到让我以为它是真的。"

"是啊，我好害怕拉妮会变成梦里那样。老公，我们一定要好好抚养她，好好陪她长大，我希望拉妮能成长为一个阳光快乐的孩子。"

"我也是。"

6

感冒去哪儿了

这天，十年屋坐在店里，长叹了一口气。

"唉，我最近好闲啊。来到店里的好多客人都因为这样那样的事情没有托我们保管东西。施展魔法的机会少了，我的技艺都要生疏了。"

十年屋拨弄着自己黄沙色的围巾抱怨道。

一旁的客来喜安慰他说：

"不会的，主人的技艺是不会生疏的，一定会有客人来寄存东西的。主人要打起精神来！"

"抱歉，我的本意并非惹你担心，客来喜。好吧，如果今天还没有客人来的话，我们做什么？还下棋吗？"

"不，我有其他事情想做。主人，我可以用店里的东西吗？"

"当然可以。不过你要做什么呢？"十年屋反问道。

客来喜扭捏地说：

"那个……我想给我的新朋友制作新的帽子、靴子和马甲。"

"啊，给那个黑猫玩偶吗？"十年屋露出微笑，"好啊，我也帮你寻找材料吧。店里应该有一条披肩，它原本是一个王妃的所有物，使用上好的丝绸制成，还有精致的刺绣。对了，还有那块有金色刺绣的紫罗兰色桌布，我觉得它的颜色和你的新朋友也很相称。不过，它们都在哪里？上次那个女孩把店里弄得乱七八糟的，东西的位置都变了。"

十年屋和客来喜翻箱倒柜地找了起来。

这可是个大工程，因为店里的东西堆积如山。一人一猫瞅瞅角落，翻翻架子，寻找着能用来给皮皮猫做衣服、靴子的材料。

客来喜爬到一座物品山的顶端，对十年屋喊道：

"主人，这是什么？"

客来喜手中握着一个小瓶子，瓶子里装着一个糖果大小的东西。它是青黑色的，上面长满了尖刺，轻飘飘地浮在瓶子里。

客来喜敏捷地从物品山上滑下来。十年屋接过瓶子看了一眼，露出了微笑。

"啊，客来喜，你真是找到了一个令人怀念的东西。不过，你应该没见过它。我收下它的时候，你还没来店里呢。"

"这是什么？"

"一个青年的感冒。"

"感冒？！"

"对，这可是非常严重的感冒。把它交给我的客人当时看起来已经病入膏肓。说起来，那个时候店里也像最近一样没什么客人，很清闲。"

凝视着这个瓶子，十年屋回忆起了往事……

那天，十年屋很无聊。

最近一直没有客人来，他没有机会施展自己得意的十年魔法，心里十分空虚。

"总感觉今天也不会有客人来……算了，今天就关店，出去呼吸一下新鲜空气吧。对了，家里也没吃的了，我得去集市上买些食材。买些芝士、火腿和面包就够了吧……或许是时候招一个做饭好吃的管家了。"

十年屋一边念叨着，一边收拾东西准备出门。为了让自己有个好心情，他围了一条明亮的红狐色的围巾，然后穿上擦得锃亮的皮鞋，挎上一个大篮子就出门了。

魔法街一如既往地安静。魔法师们生活的这个地方，始终有浓重的雾气保护着。十年屋走在石板路上，皮鞋发出哒哒的声音。

他一直走到街道的尽头。那里左右两侧各摆着一株大盆栽，一株是白玫瑰，另一株是红玫瑰。它们长长的藤蔓延伸到两米高的地方，缠在一起，形成了一道美丽的鲜花拱门。

十年屋穿过拱门后，浓重的雾气一下子不见了。一条原本没有的小路忽然出现，一直延伸到普通人类生活的世界。

这是一个没有魔法，但生机勃勃的世界。

一来到这里，十年屋就觉得全身痒痒的。他沿着小路向集市走去，没想到途中却……

他看到一个青年倒在小路的树荫下！这个青年个子很高，身材结实，此刻却脸色发青，闭着双眼，有气无力的，鼻子里还有亮闪闪的鼻涕流出来。

十年屋十分震惊，在青年身边蹲了下来。

"您没事吧？发生什么事情了？醒醒！"

不知道叫了多少次，青年才终于睁开了双眼。

"喀喀……这是哪里？我已经到比赛现场了吗？"

"比赛？"

"自行车比赛……喀喀喀……我必须去比赛。"

青年试图站起来，却摇摇晃晃的，还没站稳就又倒下去了。他咳得很厉害，身体也跟着剧烈地颤抖。大概是因为高烧和剧烈的头痛，他的汗水浸透了衣衫。

十年屋说：

"您该去的地方不是比赛现场，而是医院。来，抓住我的手，我送您去医院。"

然而，青年却坚决拒绝。他推开十年屋的手，坚决地说：

"无论如何，我都要去比赛。喀喀喀……不去不行。今年是我获得冠军最后的机会，我为此锻炼了一年。我知道以我现在的身体状况肯定不会取得好成绩。但是就这样弃权的话，我肯定会后悔一辈子的。我决不要这样！"

"但是，您现在的身体状况还能骑自行车吗？而且您还可能把感冒传染给其他人。即使这样，您也要去吗？"

青年一下子哽咽了，眼泪涌了出来。

"我不想把感冒传染给别人，只不过……我的女朋友在终点等我。喀喀……我想，要是能到达终点的话，我就向她求婚。我已经拜托她在终点等我了，如果我不去比赛的话，她一定会失望吧。"

说到这里，青年又剧烈地咳嗽起来。他痛苦地闭上眼睛，眼泪和鼻涕一起流了下来。

看到他的样子，十年屋下定了决心。

"原本我是不会在店外使用魔法的，但是现在……我就帮您一次吧。我会取走您身体里的感冒，但是，我需要收取报酬。您愿意支付您一年的时间吗？"

"支付……我的时间？"

"对，我是可以操控时间的魔法师。您的感冒可以在本店寄存十年。"

十年屋迅速向他说明了自己的身份和自己的魔法。

尽管高烧让青年的意识有些模糊，但他还是理解了十年屋的话。

他的眼睛一亮。

"只要你能帮我摆脱目前的困境，我就愿意付出时间！"

"那么，您同意了？"

"是的，喀喀……麻烦你了，喀喀……"

十年屋从胸前的口袋里取出用来签订契约的黑色皮面笔记本和银色钢笔，递给青年。

"请在这里签字。"

"好……好的。"

青年用颤抖的手签下了自己的名字：纳吉·泰萨。

把笔记本和钢笔还给十年屋时，纳吉小声问道：

"这样就可以了吗?"

"是的,这样就行了。接下来我要施展魔法了。"

十年屋将笔记本和钢笔收好后,拿出一根吸管。他向吸管内吹了口气,一个像人的脑袋那么大的泡泡马上出现了。

"请看着这个泡泡。"

说完,十年屋唱起了带有魔法的歌谣:

勿忘我和时钟草,让时间停止流逝吧。

木香花与长春花,将十年编织为笼。

收藏起人们的思念,将过去运送至未来。

收拢,汇集,守护

那些泪水变换的微笑,苦痛成就的

平和……

魔法的力量交错、汇集。空气开始微微震动,神秘的光芒包裹住纳吉的全身。

纳吉猛然睁开眼睛。他的脸色变得红润了,眼神也恢复了光彩。他不再颤抖，咳嗽和流鼻涕也停止了。

纳吉站起来，又试着握了握拳头。他难以相信自己一下子就好了。

"我太震惊了！刚才我明明还那么难受，现在却神清气爽。你真的是魔法师？！"

"当然。看，这就是将您击垮的感冒。"

十年屋指尖的泡泡里，封印着一个糖果大小的长满尖刺的东西。

"这就是……它虽然很小，却不知为何，让我感觉很可怕。要是泡泡破了，它又会跑出来吧？"

"不用担心，这个泡泡被施了十年魔法。别担心这个了，您还是赶快去比赛吧。"

"啊！对……对！魔法师先生，真是太谢谢你了！"

"请别客气，祝您赢得冠军。"

"嗯，我会全力以赴！"

纳吉露出爽朗的笑容，像风一样离开了。

十年屋的故事让客来喜听得入了迷。它眼睛亮亮的，倾身说：

"然后呢？那个纳吉怎么样了？他赢了吗？"

"后来的事我也不知道，因为我之后就按计划去了集市。能使用魔法，我就心满意足了，所以买东西的时候忍不住大手大脚了起来。我还买了烤鸡和肉丸子呢。"

听到这儿，客来喜的胡子抖了抖。它生气时也会这样。

"主人真没劲！如果是我的话，我就会去看比赛，看看最后到底发生了什么。他赢了吗？求婚了吗？我绝对不会错过任何情节。"

"哈哈，客来喜居然是这样的性格。但是，很遗憾，我没有你那样的好奇心。"

十年屋摸了摸客来喜的头，又笑了。

"其实我心里莫名感觉到那个青年的心愿都实现了。他是一个那么努力的人，冠军奖杯和恋人的心，他一定都能抓住。"

"不过……这个感冒还在店里，说明他没有来取吧？"

"是啊。不过，没有人会想要感冒吧，自然也没有客人想要买它。后来，我又把它从泡泡里转移到瓶子里，它都放在这里多少年了……我干脆把它拿到色彩屋，让阿靛帮我换个漂亮的颜色吧，不然不管过多久都卖不掉的。"

客来喜正要点头，说这是个好主意时……

丁零零!

门铃大声响了起来，一个老爷爷推开了白色大门。

"那个瓶子给我吧!"

"老波先生?"

来者正是封印屋的主人，擅长使用封印魔法的老波先生。他戴着用麦秸做的大帽子，穿着蓝色的工作服，长长的白胡子上挂着许多大钥匙，腰带上还挂着很多锁。

十年屋和客来喜都吓了一跳。老波先生没给他们反应的时间，语速很快地说:

"我在外面听到了你们的话。这个感冒，请一定卖给我。"

"当然没问题。只是，您要这种东西干什么？"

"你别管，总之我买了。用我的魔法给你付报酬怎么样？我帮你封印东西可以吧？"

"可以。但我暂时没有需要封印的东西，还是给我物品吧。"

"是吗？那这个怎么样？"

老波先生麻利地取出一个银色的罐头。

罐头上画着一个男人的脸，下面写着"通缉犯""抓到有赏金"。

"咦，这不是之前的……"

"对，这就是我之前封印的通缉犯。你把它拿到银行屋，一定能卖个好价钱。现在这个感冒可以给我了吗？"

"当然，当然……不过您真的要买这种东西吗？请小心，如果摔坏了或者打开瓶盖，您就会立即感冒的。"

"嗯，别担心，我有办法好好使用它。谢谢，再见了。"

老波先生抓起放着感冒的瓶子，匆匆离开了。

十年屋眨了眨眼睛。

"我还是第一次见到老波先生这副模样。"

"哈哈哈！"客来喜却开心地笑出了声。

"怎么了，客来喜？"

"我好像猜到老波先生要做什么了。"

"哦？"

"老波先生肯定是想把那个感冒瓶子用到自己身上，然后趁着生病去找都留女士。"

"原来如此！"十年屋拍手叫道，"即使都留女士个性冷淡，对感冒的病人应该也会很温柔。老波先生可以利用这一点和她变得更加亲密吧。哎呀，老波先生真是老谋深算啊。"

"我很尊敬老波先生。"

"我也一样。如果这件事情是真的……绝对不能把老波先生故意感冒的事告诉都留女士。"

"明白，我绝对会保密的！"

客来喜竖起手指放到嘴巴前，"嘘"了一声。

7

银行屋的秘密

距离老波先生买下瓶子里的感冒已经有几十天了。

客来喜向存放生活费的储蓄箱里看了一眼，发出重重的叹息。它转身看向正在客厅读书的十年屋：

"主人，我们快没钱了。今天的晚餐，我准备做鱼，可是剩下的钱已经不够买鱼和土豆了。"

"这样啊……"十年屋放下书，"我之前就觉得钱差不多该花光了。我们是时候去一趟银行屋了。"

"您打算拿什么去？"

"我想想……得是咱们俩能搬动，并且银行屋的吉拉特先生也喜欢的东西……蓝宝石戒指怎么样？之前得到的好喝的葡萄酒也带个两三瓶吧。还有贝壳化石，一套银制的餐具……对了，再拿上老波先生给的罐头吧。"

"遵命。我现在去拿篮子。"

"那我去找这些东西。"

十年屋找东西的时候，客来喜拿着一个大篮子出来了，背上还背着个大背包。

"你拿背包做什么？"

"如果篮子里装不下那么多钱的话，我们可以放到背包里。"

"我觉得我们不会拿到那么多钱。"

十年屋苦笑着，将挑出来的东西塞进篮子里。

最后，篮子被塞得满满当当的。十年屋拎起这个沉甸甸的篮子，踉跄了一下，不由得发出一声呻吟。

客来喜担心地问：

"要不把银制餐具放到我的背包里吧？"

"不用，没关系的，我一个人搬得动。这种时候我发自内心地觉得，银行屋跟十年屋之间只隔了三家店，真的太好了。"

十年屋和客来喜走出店铺来到大街上，向隔了三家店的建筑物走去。

尽管魔法街上奇怪的建筑物很多，可银行屋的样子在其中依旧显得非常奇特。首先，银行屋的墙壁是用光滑的金属做的，一扇窗户也没有。其次，厚重的圆形大门同样是用金属做的，门把手的地方安装着一个像船舵一样的轮子。

大门旁有一个门铃，门铃旁边写着："有需要的客人请按门铃。银行屋。"

十年屋腾不出手，客来喜便按下了门铃。

随着沉闷的声音响起，厚重的大门缓缓打开了。

十年屋和客来喜走了进去。

银行屋内部装潢得像是平平无奇的事务所，和它外部的风格大相径庭。黑色的地板上铺着红色的地毯，一直延伸到最里面那张巨大的桌子前。桌子后面坐着的男子便是银行屋的主人吉拉特，他正在清点桌子上堆成小山的银币。

看到十年屋和客来喜，吉拉特立刻从椅子上站了起来。

吉拉特相貌英俊，个子比十年屋还高，身上隆起的肌肉线条清晰可见。他光洁的肌肤如夜色一样漆黑，头发却宛如闪耀的银币。古铜色的西装上，金色纽扣闪闪发光，和金币极为相似。

吉拉特给人一种威严且无懈可击的印象，他的目光总是锐利而冷静的，让人觉得很难对付。客来喜每次见到他，都会感到一丝恐惧。

吉拉特用浑厚的声音说：

"欢迎光临，十年屋先生和客来喜。"

"好久不见，吉拉特先生。"

"您好。"客来喜说。

"您好。两位今天来有什么需求？"

"我手头有点儿紧。跟以前一样的业务，拜托您了。"

十年屋指了指篮子。吉拉特露出"原来如此"的神情。

"是吗？您来得正好，我正想着最近去拜访您呢。那么，事不宜迟，我马上开始估价。"

吉拉特接过十年屋的篮子，将里面的东西一一放到桌子上。

"喔，葡萄酒三瓶，银制餐具一套，宝石戒指一枚，贝壳化石一块……这是……哈哈，这罐头是封印屋的老波先生给您的吧。"

"是的，前一阵子，老波先生来我店里，和我做了一笔交易。"

"原来是悬赏的通缉犯啊，看起来能卖很高的价钱。"

吉拉特似乎想起了什么，继续说：

"我听说前一阵子老波先生得了重感冒卧床不起，都留女士照顾了他好几天。我真没想到，一向冷淡的都留女士也有温柔的时候啊……您这是什么表情？"

"啊，没什么……"

看到十年屋和客来喜露出一脸意味深长的笑容，吉拉特蹙起眉头。

"你们是不是知道什么内情？"

"可以这么说，但是我们要保密。"

"对，我们要保密！"

"是吗？那就不要露出自己知道什么的表情嘛。我是很想知道的。"

说完，吉拉特取出一架小巧的天平。

那是一架十分漂亮的天平，像是银制的，表面布满纤细的镂空花纹，左右两端各放着一个金色的盘子。

吉拉特将十年屋带来的东西一个接一个放入右侧的盘子里。接下来，不可思议的事情发生了。仿佛是为了装下所有的物品，天平渐渐变大了。看来，无论多大的东西，这架天平都能放下。

将十年屋的东西都放上去后，吉拉特并没有在另一侧放上砝码之类的东西，而是用缓慢的语调唱起了歌：

铜叶大丽花和银桂花，

还有耀眼的金盏花，

灿烂夺目的宝物之花哟，

衡量的准备已经做好，

请鉴定物品的价值。

花瓣飘落，填满我的双手，

如此便会心满意足。

伴随着吉拉特充满魔力的歌声，天平动了起来。左侧的盘子上明明没有放东西，却开始缓缓下沉，直到天平左右两端平衡。

突然，左侧的盘子里出现了堆成小山的金币、银币和铜币。

十年屋和客来喜都瞪大了眼睛。

"有这么多！"客来喜倒吸了一口气。

吉拉特平静地点了点头，说：

"价格最高的是葡萄酒，其次是装有通缉犯的罐头，宝石戒指和银制餐具的估价也不低。遗憾的是，贝壳化石只值四枚铜币。这个价格您能接受吗？"

"完全可以。何止可以，比我预想中要高多了。篮子似乎装不下，必须得分一点儿到客来喜的背包里了。"

"主人，放心交给我吧！"

客来喜利落地把背包敞开，里面一下子露出来一只黑猫玩偶。

十年屋眨了眨眼。

"哎呀，我说背包怎么鼓鼓的，原来你把皮皮猫也一起带过来了啊。"

"是的，我不管去哪里都带着皮皮猫，因为我和那个男孩约好了，要好好照顾它嘛。"

这时，吉拉特凑了过来，盯着皮皮猫玩偶说：

"嚯，这个猫咪玩偶不错，还穿着时尚的紫罗兰色外套。我开一个银币，卖给我怎么样？"

客来喜发出一声小小的惊呼，如临大敌般抱紧了皮皮猫。

"不行！这是我的宝贝！"

"那可太遗憾了。不过，要是你改变主意，随时可以来找我。"

"我永远都不会改变主意的！"客来喜的声音不大，却十分坚定。

之后，十年屋和客来喜专心地往篮子和背包里装钱，不再注意吉拉特。他们俩心情很好，特别是客来喜，尾巴和胡子都翘得老高。

"主人、主人，今天晚上可以吃一顿豪华的晚餐了吧？"

"当然了，客来喜，这样的日子就要好好享受啊。"

"那我要买一条大大的三文鱼，买一整条！要烧得嫩嫩的，柠檬汁、黄油和酱料也要加够！"

"好啊，配菜我想吃土豆泥，要加黑胡椒和芝士。"

"没问题，主人。我还想喝番茄浓汤。"

"这个汤也很好喝，记得多加点儿洋葱和蒜。"

"好的，主人。"

一人一猫开心地计划着，心满意足地离开了。

目送他们离开后，吉拉特抱着刚收购的东西朝店铺深处的金库走去。

他打开锁，推开结实的门……

金库里排列着很多架子，架子上摆着许多东西，有精致的魔法棋、各种美丽颜色的颜料，还有封印着雷电的珠子……

每一件东西都是他从其他魔法师那里收购来的。把这些东西拿去人类居住的城镇，以合适的价格出售，这便是他的工作。

把葡萄酒和银制餐具等放好后，吉拉特关上金库的门，朝二楼自己的房间走去。

和事务所般无趣的一楼不同，二楼的房间里装点着许多可爱的摆件和精致的玩具，而且到处都是装满饼干或糖果的瓶子。如果有孩子来到这里，他大概会以为自己来到了童话世界，双眼放光吧。

吉拉特重重地坐在巨大的沙发上，抱起一个绣着花朵的抱枕，噘起嘴喃喃自语道：

"哼，真可惜，没有买到那个黑猫玩偶，我还想把它加入我的收藏呢……不过，今天见到了可爱的客来喜，真是太好了。比起客来喜，十年屋先生就很无趣了。我也好想拥有一只这么可爱的管家猫啊！"

没想到，魔法街上最令人生畏的魔法师吉拉特，竟然是一个无比喜欢可爱的东西和甜食的男子呢。

尾声

皮诺深深地呼出一口气后，悄悄看向对面的画廊。

太好了，今天也有很多客人光临。

皮诺抚摸着胸口，向画廊走去。他从人群中穿过，看向墙上挂着的画，那都是他的作品。

自己居然会成为画家，至今他都觉得神奇。

他的画作大多以"黑猫和橘猫"为主题，戴着红帽子、穿着靴子的黑猫和穿着黑色马甲的橘猫依偎在一起——他从小时候就开始画这样的画了。之后，这些画渐渐有了人气，不知不觉间，他已经可以办个人画展了。

皮诺总是逃避回答"为什么只画这两只猫"的问题。

七岁时的奇妙经历对皮诺来说既痛苦又珍贵。即使对别人说了，他也不觉得别人真的相信如此离奇的经历。

啊，我可爱的皮皮猫，还有那只可爱的客来喜，它们过得还好吗?

凝视着自己的最新作品《看日落的橘猫和黑猫》,他忽然听到旁边传来一个小小的声音。

"打扰了,请问您是皮诺·伊奇先生吗?"

循声望去,眼前是一名年轻女子。她有着圆圆的脸蛋和灵动的双眼,十分可爱。

皮诺心想,这名女子大概和自己同龄。他点了点头,说:

"我是,请问您有什么事情吗?"

"我有事情想要询问您。"

女子将声音压得更低,继续说道:

"那个……您画的橘猫,是不是叫客来喜啊?"

皮诺从未想过有人会问自己这样的问题,他愣了一下,呼吸乱了一拍,心脏狂跳不已。

眼前的女子竟然知道客来喜,也就是说……

他拼命调整呼吸,也同样压低声音回答道:

"难道您也去过十年屋?"

"去过!"女子开心地点点头,"我虽然没有托十年屋保管东西，但还是受到了客来喜周到的招待。而且，它还教会了我非常重要的事情。可以说，没有客来喜，就没有现在的我。"

女子看着画中的客来喜，露出怀念的表情。

"我只见过它一次，但我一直希望能再次见到它。几天前，我看到了您的画……我一眼就认出来了，画里的橘猫就是客来喜！所以，我无论如何都想见一见这些画的创作者。当我知道还有其他人见过客来喜的时候，我真的很开心。"

皮诺理解她的心情，因为皮诺自己也心潮澎湃，喜悦不已。

皮诺还想跟她详细聊一聊，赶忙问道：

"您有时间吗？如果方便的话，我们找个咖啡厅坐下来聊聊吧，我想知道您遇到客来喜的故事。"

"可以呀，不过，您也要告诉我您的故事。客来喜身边那只黑猫的故事，也请告诉我。啊，对了，我叫谢拉，是一名糕点师，请多关照。"

"请多关照。"

皮诺真诚地握住了谢拉伸过来的手。

"JUNENYA 5: HIMANA TOKI MO GOZAIMASU"

written by Reiko Hiroshima, illustrated by Miho Satake

Text copyright © 2021 Reiko Hiroshima

Illustrations copyright © 2021 Miho Satake

All rights reserved.

First published in Japan by Say-zan-sha Publications, Ltd., Tokyo

This Simplified Chinese edition published by arrangement with

Say-zan-sha Publications, Ltd., Tokyo in care of Tuttle-Mori Agency, Inc., Tokyo,

through Pace Agency Ltd., Jiang Su Province.

Simplified Chinese translation copyright © 2024 by Beijing Science and Technology

Publishing Co., Ltd.

著作权合同登记号　图字：01-2024-0373

图书在版编目（CIP）数据

十年屋：无法施展的时间魔法 / （日）广岛玲子著；
（日）佐竹美保绘；尚思婕译 . -- 北京：北京科学技术
出版社，2024（2025 重印）. -- （十年屋与魔法街的朋友
们）. -- ISBN 978-7-5714-4066-4

Ⅰ . I313.85

中国国家版本馆 CIP 数据核字第 2024YL8412 号

策划编辑：梁　琳　张心然
责任编辑：刘　洋
责任校对：贾　荣
封面设计：包荧莹
图文制作：天露霖文化
责任印制：吕　越
出 版 人：曾庆宇
出版发行：北京科学技术出版社
社　　址：北京西直门南大街 16 号
邮政编码：100035
电　　话：0086-10-66135495（总编室）　　0086-10-66113227（发行部）
网　　址：www.bkydw.cn
印　　刷：保定市中画美凯印刷有限公司
开　　本：889 mm × 1194 mm　1/32
字　　数：65 千字
印　　张：4.375
版　　次：2024 年 9 月第 1 版
印　　次：2025 年 5 月第 2 次印刷
ISBN 978-7-5714-4066-4

定　　价：35.00 元